For Josie and Oliver

Pour l'édition originale publiée par Walker Books Ltd
87 Vauxhall Walk, London SE11 5HJ
et parue sous le titre *ZaZa baby's brother*
© 1995, Lucy Cousins pour le texte, l'illustration et le lettrage
www.walkerbooks.co.uk

Pour l'édition française publiée avec l'accord de Walker Books Ltd
© 1995, Albin Michel Jeunesse, 22 rue Huyghens 75014 Paris
www.albinmicheljeunesse.com
EAN 13 : 978 2 226 07087 6 – N° d'édition : 10 115/5
Dépôt légal premier semestre 1995
Imprimé et relié en Chine

Le petit frère de Zoé

Lucy Cousins

Albin Michel Jeunesse

Ma maman va avoir un bébé.

Elle a un gros ventre tout rond, c'est compliqué pour les câlins.

Grand-mère est venue pour me garder.

Papa a emmené
Maman à la
maternité.

Quand le bébé est né, nous sommes allés voir Maman.

Après, Maman est revenue à la maison. Elle était très fatiguée et je devais être sage et m'occuper d'elle avec Papa.

Tous mes oncles et mes tantes sont venus voir le bébé.

Sage!

Formidable!

J'ai joué
toute seule.

Papa était toujours occupé.

Maman était toujours occupée.

«Maman, tu me lis une histoire?

—Plus tard Zoé.»

« Papa, tu veux bien me lire une histoire?

— Pas maintenant Zoé, on va sortir faire des courses.»

«Maman, on peut aller au magasin de jouets?

–Désolée Zoé,
le bébé a faim, il
faut rentrer à la
maison.»

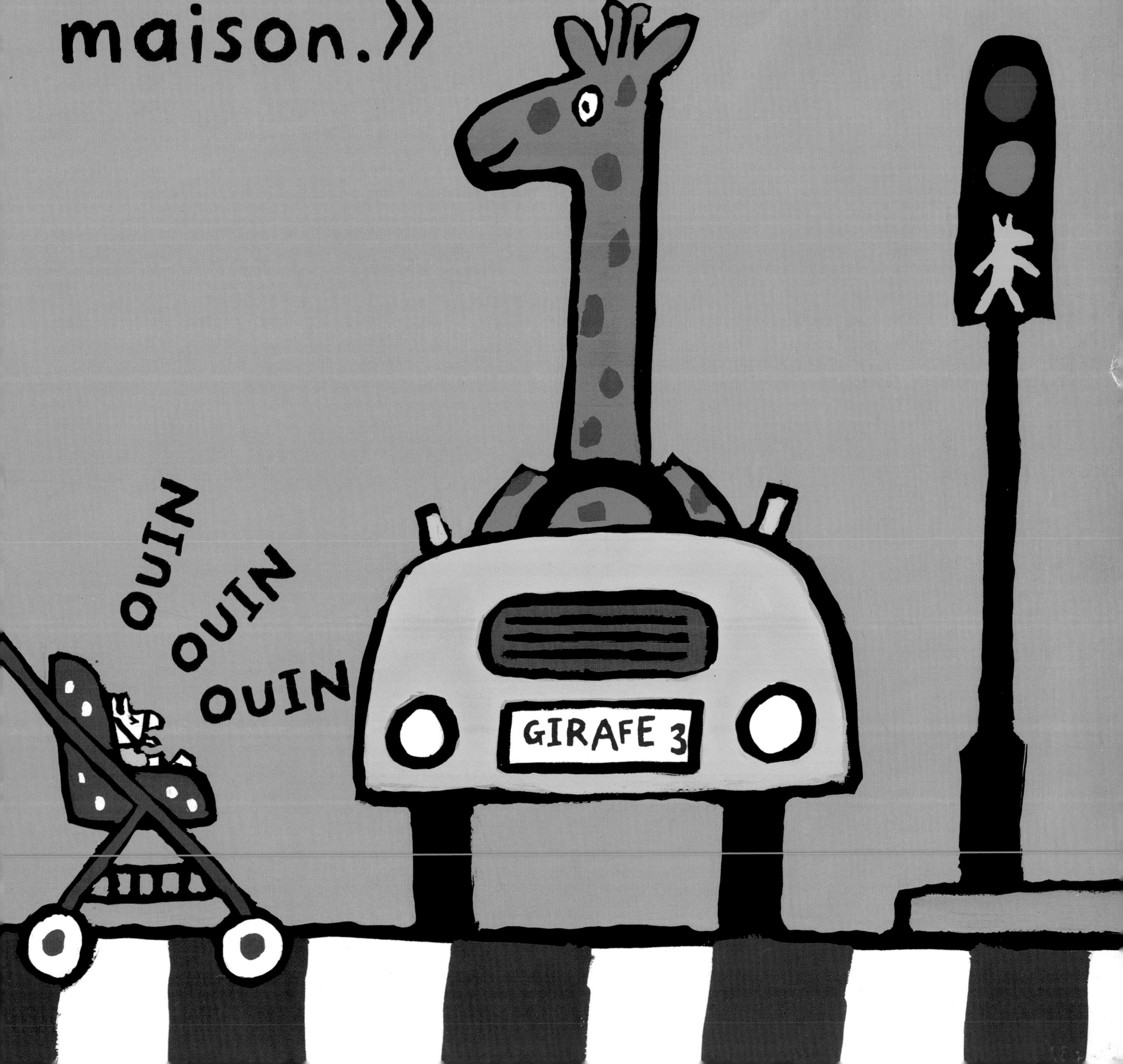

«Je peux avoir **mon** goûter bientôt?

-Oui Zoé.»

«Maman! Je veux un câlin MAINTENANT!

– Pourquoi ne fais-tu pas un câlin au bébé?»

Alors, j'ai câliné mon petit frère...

le l'ai poussé...

j'ai construit une grande tour pour lui.

Il était gentil. C'était drôle.

Comme il était fatigué,
Maman l'a mis
au lit.

Alors j'ai eu
mon câlin...

et Maman m'a lu
une histoire.